D'après Jim Davis

UNE FAIM DE FURET

«GARFIELD TV Series» © 2013 - Dargaud Media.
D'après la série télévisée *Garfield & Cie*,
développée par Philippe Vidal, Robert Réa et Stève Balissat,
adaptée de la bande dessinée de Jim Davis publiée en France par Dargaud.
Une coproduction DARGAUD-MEDIA.
Avec la participation de france**télévisions**, avec le soutien du Département
de la Charente, de la Région Poitou-Charentes et en partenariat avec le CNC.
Histoire originale de Julien Magnat (« Bienvenue Mme Furet »).
www.garfield-et-cie.com

Novélisation : Arnaud Huber.
Conception graphique : Valérie Gibert et Philippe Sedletzki.

Hachette Livre, 43 quai de Grenelle, 75015 Paris.

D'après Jim Davis

UNE FAIM DE FURET

hachette
JEUNESSE

LA PARESSE, ÇA CREUSE. CE N'EST DONC PAS SA FAUTE SI GARFIELD EST LE CHAT LE PLUS FAINÉANT ET LE PLUS GLOUTON DE L'UNIVERS. D'APRÈS LUI, IL EST AUSSI LE PLUS INTELLIGENT. LA PREUVE ? IL PARLE ! SURTOUT DE LUI. ÇA TOMBE BIEN : IL LUI ARRIVE TELLEMENT D'AVENTURES QU'IL VAUT MIEUX QU'IL PUISSE VOUS LES RACONTER...

MOI, GARFIELD

MA DEVISE DANS LA VIE, C'EST "MOI D'ABORD !"
ON PEUT LE DIRE, JE SUIS UN GROS ÉGOÏSTE.
ENFIN, DISONS QUE JE NE PENSE QU'À MANGER
(DES LASAGNES) ET À DORMIR (LE PLUS LONGTEMPS
POSSIBLE). POUR ENTRETENIR MON BEAU PELAGE
ORANGE RAYÉ NOIR, JE FAIS AUSSI UN PEU D'EXERCICE :
JE REGARDE LA TÉLÉVISION... ET MÊME SI, AU FOND, JE
LES AIME BIEN (MAIS NE LE RÉPÉTEZ PAS, J'AI UNE
RÉPUTATION DE CHAT MÉCHANT À TENIR), J'ADORE
TAQUINER MON MAÎTRE ET SON CHIEN...

JON

CE QUE J'APPRÉCIE CHEZ MON MAÎTRE, C'EST QU'IL EST PLUTÔT CALME. CE QUE J'AIME MOINS, C'EST QU'IL PASSE UN PEU TROP DE TEMPS À LA MAISON. IL VOIT BIEN LIZ, MAIS IL FAUDRAIT QUE ÇA DEVIENNE UN PEU PLUS SÉRIEUX ENTRE EUX POUR QUE J'AIE LA PAIX...

ODIE

SI JE SUIS LE CHAT LE PLUS INTELLIGENT AU MONDE, ODIE EST SANS AUCUN DOUTE LE CHIEN LE MOINS FUTÉ. J'EN PROFITE POUR L'EMBÊTER. QUI AIME BIEN CHÂTIE BIEN ! MAIS SON VRAI PROBLÈME, C'EST QU'IL NE SAIT PAS PARLER. DU COUP, IL PASSE SON TEMPS À FAIRE DES CÂLINS BAVEUX AVEC SA LANGUE. ET ÇA, C'EST DÉGOÛTANT.

LIZ

MON MAÎTRE, JON, EST AMOUREUX DE LIZ. C'EST NOTRE VÉTÉRINAIRE, À MOI ET À ODIE. ELLE EST SYMPA. SAUF QUAND ELLE NOUS FAIT DES PIQÛRES POUR NOS VACCINS. MAIS PARCE QU'ELLE POURRAIT ME DÉBARRASSER DE JON UN PEU PLUS SOUVENT, JE SUIS PRÊT À JOUER LES CHATS MODÈLES POUR LUI PLAIRE...

SQUEAK

LES SOURIS ET MOI, C'EST UNE LONGUE HISTOIRE. JE FAIS SEMBLANT DE LES CHASSER POUR QUE JON CONTINUE DE ME NOURRIR, MAIS EN MANGER, BEURK ! MÊME PAS EN RÊVE... IL Y EN A QUAND MÊME UNE QUI VIT À LA MAISON. JE L'AI APPELÉE SQUEAK. C'EST UN BON COPAIN. ET IL EST PRESQUE AUSSI MALIN QUE MOI. J'AI DIT "PRESQUE".

CHAPITRE I

UNE BOUCHE
DE PLUS
À NOURRIR

On ne parle plus que de ça à la télévision. Sur toutes les chaînes, on entend la même rengaine : « La navette spatiale va bientôt décoller ! » « Ce n'est qu'une question de minutes… » Et j'ai beau zapper, je vois surtout que la fusée qui va propulser la navette dans l'espace ressemble comme deux gouttes de crème glacée à un épi de maïs grillé.

Du coup, en attendant que Jon nous appelle pour déjeuner, on pourrait peut-être trouver une petite émission culinaire ? Mon estomac s'impatiente.

Quand j'y pense, c'était bien cet abonnement à Pizza Channel ! Si seulement Jon avait eu de quoi le payer au-delà des six premiers mois gratuits…

En parlant de navette spatiale, je me souviens d'un reportage sur les pizzas déshydratées que préparent parfois les astronautes. De la sauce tomate, de la mozzarella et des olives réduites en poudre qu'il faut arroser d'eau chaude pour obtenir, tenez-vous bien : une soupe goût pizza ! Moi, je dis : manger de la soupe ou de la pizza, il faut choisir. Voilà pourquoi je ne suis pas devenu chastronaute…

— Dis voir, Odie, tu ne crois pas qu'il y a des émissions plus intéressantes à regarder ? Un programme sur les os de dinosaures par exemple !

Pour toute réponse, Odie se contente d'un léger grognement. De toute évidence, il n'a pas très envie que je change de chaîne. Même pour saliver devant des os géants. Pour dire la vérité, voir Odie baver aux corneilles devant un fémur de tyrannosaure ne m'enchante guère. Ce n'est pas très ragoûtant. Et ça risque de faire des taches sur la moquette. Mais j'ai terriblement faim ! Et quand j'ai faim, tout m'ennuie. Même les fusées en forme d'épi de maïs.

Jon entre dans le salon. Il tient à la main une petite cage rose et bleue, de laquelle dépasse un long museau.

— Je dois m'absenter, explique
Jon. Mais vous n'allez pas vous
ennuyer !

Je confirme : quand Jon n'est
pas là, on ne s'ennuie jamais.
Sauf s'il a oublié de préparer à
manger…

— Je vous ai apporté un peu
de compagnie, poursuit-il en
soulevant la cage pour nous
présenter l'animal qui s'y trouve.

C'est une madame furet, nous explique-t-il.

Une furette, donc. Autrement dit, une bouche de plus à nourrir à la maison ! Comme si ce n'était pas déjà suffisamment compliqué pour moi de chaparder la part d'Odie.

J'ai entendu dire que les furets étaient le troisième animal de compagnie préféré des humains, après mes « amis » les chiens et mes congénères chats. On aura tout entendu ! Nous, les chats, devons donc désormais tenir notre place sur le podium, entre mangeurs de saucisses et saucisses sur pattes.

— Liz est complètement débordée, explique Jon. Alors, j'ai accepté de garder l'une de ses patientes pour l'aider.

J'espère qu'elle n'est pas contagieuse... Oh, mais attendez : pas si vite ! Résumons la situation : Liz confie l'une de ses patientes à Jon pour qu'il s'en occupe parce qu'elle est débordée. Mais comme Jon doit s'absenter, c'est Odie et moi qui allons devoir veiller sur elle ? Déjà que je dois constamment garder un œil sur Odie pour m'assurer qu'il ne se marche pas sur la langue ! Qu'est-ce que j'aurai en échange, au juste, pour la peine ?

— Pour la peine, ajoute aussitôt Jon, comme par transmission de pensée, je vous ai préparé des lasagnes aux quatre fromages. Elles sont en train de refroidir dans la cuisine…

Des lasagnes aux quatre fromages ? Miam ! Jon est peut-être l'avant-dernier des idiots (le dernier, c'est Odie), mais il

a ce don unique que je n'échan-
gerais pour rien au monde : il
lit l'avenir dans mon estomac !
Il était donc écrit que je
surveillerais la patiente de Liz
sans rechigner, puisque me voilà
payé en lasagnes.

Mais comment est-il possible
que je n'aie rien senti ? Allons
vérifier dans la cuisine…

CHAPITRE 2

LA FURETTE EN FURIE

— Oh ! s'exclame Jon. Je suis en retard ! Il faut vraiment que j'y aille. Ne vous inquiétez pas !

Rassure-toi, Jon, ce n'est pas prévu au programme ! D'autant qu'il y a bien des lasagnes toutes fumantes sur la table de la cuisine. Découpées en vingt-sept parts. Soit, normalement, neuf pour Odie, neuf pour la furette

et neuf pour moi. Je dis bien :
normalement. Quand on aime
les lasagnes comme je les
aime, on ne compte pas la part
des autres ! On la mange…

— Je serai de retour avant le
dîner ! crie Jon avant de claquer
la porte.

Ça, il vaudrait mieux pour ta
« patiente », parce qu'à part elle

et ces lasagnes, il ne reste plus rien à manger dans la maison…

Mais en attendant le déjeuner, retournons au salon.

— Les deux astronautes devraient embarquer dans la navette d'une seconde à l'autre, explique une journaliste sur le petit écran.

— Eh, vous deux ! nous interpelle la furette depuis sa cage, d'une voix affreusement haut perchée. J'ai besoin de faire un peu d'exercice.

— Tais-toi ! On essaie de regarder la télévision.

— Laissez-moi sortir de là ! Je suis un furet, et les furets ont besoin de bouger !

À ces mots, la furette s'agite dans sa cage avec tant d'énergie que celle-ci sautille sur place en produisant un bruit de plastique particulièrement horripilant. Ce n'est pas que cette histoire de fusée me passionne vraiment, mais je n'arriverai pas à faire ma sieste d'avant-dîner avec un vacarme pareil.

— Je vous en suppliiiie ! hurle la furette d'une voix plus

stridente que le son émis par un enfant jouant faux de la flûte à bec.

Odie et moi nous regardons et décidons, en total accord avec nos oreilles, que nous avons tous les deux fragiles, de libérer la furette.

— Très bien, tu peux sortir. Mais interdiction de griffer les meubles ! Ça, c'est mon boulot !

Et puis, ça me détend. Pas de griffer les meubles. De voir la tête de Jon quand il s'en rend compte.

Malheureusement, aussitôt sortie de sa cage, la furette se met à cavaler et à bondir partout en poussant des petits cris perçants. Si la maison était en verre, je suis certain qu'elle se briserait.

Il court, il court, le furet, il court partout dans le salon ! Je comprends mieux l'origine des paroles de la comptine, maintenant. Table, canapé, rideaux : tout y passe. Elle n'a rien d'un animal de compagnie, cette furette ! Ou alors, il faut aimer les furies…

Le téléphone sonne ! C'est sans doute Jon. Le répondeur se déclenche. Il s'agit bien de lui. Il appelle pour nous mettre en garde :

— Ne laissez surtout pas la furette sortir de sa cage !

C'est gentil de nous prévenir.

— Liz l'a mise au régime forcé et...

Mais c'est vétérinaire ou tortionnaire son métier ?

— ... comme elle n'a pas mangé depuis vingt-quatre heures, elle est capable de dévorer tout ce qu'elle trouvera sur son chemin.

Jon raccroche. Je me tourne vers Odie.

— Mais c'est terrible ! Tu imagines, Odie ? Ça doit être pénible de vivre avec quelqu'un qui dévore tout ce qu'il trouve !

Qui a dit : « Ça me rappelle quelqu'un… » ? Je tiens à préciser que je ne mange pas tout ce que je trouve ! Je mange tout ce que Jon me donne ! Et tout ce qu'Odie ne voit pas que je lui vole. Nuance. Mais… Nom

d'un cornet de frites ! Les
lasagnes aux quatre fromages !

CHAPITRE 3

EN CAS D'URGENCE

— Vite ! Odie ! Dépêchons-nous avant qu'il ne soit trop…

… tard. La furette est allongée de tout son long sur la table de la cuisine. Elle soupire d'aise, le ventre gonflé comme une grosse bulle de savon prête à éclater.

— Tu as osé manger toutes mes lasagnes ? Enfin, je veux dire, toutes « nos » lasagnes ?

Qu'as-tu à déclarer pour ta
défense ?

— Hic ! répond la furette.

Évidemment. C'est aussi ce
que je dis quand j'ai trop mangé.

Il n'y a plus rien à faire. À
part attendre. Jon nous prépa-
rera un autre plat tout à l'heure.
Ou plusieurs.

Tiens ! Le téléphone sonne à
nouveau...

— C'est encore moi, annonce Jon sur le répondeur. J'ai une mauvaise nouvelle...

Il est déjà sur le chemin du retour et il n'y a plus de sauce tomate au supermarché ?

— Je suis tombé en panne, poursuit-il.

Eh ! Liz ne vient pas dîner ce soir ! Pas la peine de nous faire le coup de la panne ! Mais les bruits de pétarades et les crachotements que l'on entend derrière lui ne trompent pas. C'est probablement le moteur qui a lâché. Faites-moi confiance ! Je m'y connais en mécanique depuis que j'ai essayé de faire cuire une pizza sur le capot encore chaud de la voiture de Liz… Le four ne marchait pas. Il fallait bien trouver une solution !

— Je vais devoir passer la nuit dans un hôtel, se lamente Jon.

Il ose se plaindre alors qu'il pourra manger à sa faim quand il le voudra en appelant le service d'étage ?

— Heureusement que je vous ai préparé des lasagnes ! conclut-il. Vous imaginez si vous aviez dû

passer toute la journée sans rien avaler ?

Je commence même à en avoir une idée très précise. Et cette idée gargouille fortement !

— Allons voir ce qui reste dans le réfrigérateur…

Vous n'allez pas me croire : le frigo est vide ! Je me tourne vers la furette, assise au bord de la table de la cuisine, en train de nettoyer avec un cure-dents les restes de nourriture coincés dans sa bouche.

— Mais t'as tout avalé à part le bac à glaçon et l'ampoule électrique ?

— Ben oui, répond-elle comme si de rien n'était. Je les

garde pour le dessert. Et vous ?
Vous allez manger quoi ?

Elle ne manque pas de
toupet, cette furette ! Heureusement, le livre de recettes de Jon
est à portée de main. Je suis sûr
qu'on va y trouver de quoi lui
rabattre son caquet.

— Alors ! Voyons voir à la
lettre « f » ! Furet rôti, furet
grillé... Oh ! Une recette de

nems fourrés au furet. Ça te dit, Odie ? Moi, je suis partant.

La furette saute de la table.

— Eh, les gars ! s'inquiète-t-elle en reculant. Calmez-vous ! Je retourne dans ma cage tout de suite et, c'est promis, je n'en sors plus ! Sauf si vous me le demandez.

Pfff... On n'a même pas de quoi cuisiner de toute façon. Il doit pourtant bien y avoir quelque chose de comestible dans cette maison ?

Odie et moi entamons une fouille méticuleuse de l'intégralité de la cuisine. Mais rien de rien de rien ! Ni dans les placards du haut, ni dans ceux du bas, encore moins dans les tiroirs. C'est la bérézina !

Oh, attendez ! Au-dessus du réfrigérateur ! Je vois… une boîte ! Une boîte de nourriture pour chats ! Je l'avais complètement oubliée. Jon a pourtant toujours insisté pour en garder une en cas d'urgence alors que je déteste ça. Mais là, mon estomac sonne l'alarme. Et ça, C'EST un cas d'urgence !

CHAPITRE 4

ÇA DEVIENT DÉSESPÉRANT

Vite ! Où est l'ouvre-boîtes ? Il m'a semblé l'apercevoir dans un tiroir il y a quelques secondes en cherchant à manger. Ah ! Le voilà !

— Tu veux essayer ? je demande à Odie.

Il acquiesce de la tête.

— Ah, ah, ah ! Je plaisantais ! Tu es bien trop stupide ! Admire le travail !

J'aurais mieux fait de me taire. J'ai beau essayer de planter la pointe tranchante de l'ouvre-boîtes dans le couvercle de métal, il résiste. J'appuie pourtant de toutes mes forces ! Rien n'y fait.

— Oh, je sais ! Je vais utiliser l'ouvre-boîtes électrique.

Ça ressemble un peu à une machine à café. Sauf qu'à la place d'une tasse, on pose une boîte de conserve. Normalement, il suffit d'appuyer sur le gros bouton rouge. Même Odie pourrait le faire. Mais il est hors de question que je le laisse essayer. JE suis le héros et JE viendrai à bout de ce couvercle.

Je pose la boîte. J'appuie. La boîte tourne sur elle-même. Elle tourne de plus en plus vite… De la fumée se dégage soudain de l'appareil… Puis un gros nuage noir envahit la pièce ! Quand il se dissipe, le résultat est clair : 1 à 0 pour la boîte de conserve. À présent, le bouton rouge gigote dans le vide au bout d'un ressort... Je crois que l'ouvre-boîtes électrique a rendu l'âme.

— C'est quand même pas une boîte en métal de rien du tout qui va m'empêcher de manger la seule nourriture qui reste dans cette maison !

Ce qu'il me faut, c'est un outil plus gros…

— Odie, va me chercher la masse en bois de Jon dans le garage, puis rejoins-moi dans le salon ! Il y a un peu trop de fumée ici. Et je vais avoir besoin de place…

Odie s'exécute aussitôt ! À défaut d'être intelligents, les chiens ont au moins le mérite d'être obéissants. Un peu têtus aussi... Ce cabot entêté insiste encore auprès de moi pour essayer d'ouvrir la boîte.

— Non ! Pour la dernière fois, je n'ai pas besoin de toi !

Maintenant, il n'y a plus qu'à frapper un grand coup de masse sur le couvercle. À la une, à la deux, à la trois !

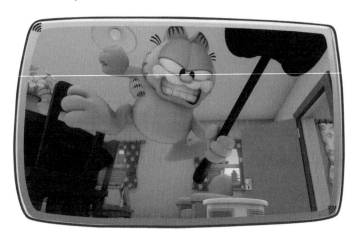

CLONG !

Ça, c'est le bruit de la masse sur le couvercle en métal. Toujours fermé.

— Fichue boîte de conserve ! Finalement, tu peux peut-être m'aider, Odie. J'ai déjà une autre idée… Allons dans le jardin ! Prends ton gant de base-ball et un casque. Je me charge de la batte.

Comme disaient les hommes préhistoriques de l'âge de métal, il faut battre le fer tant qu'il est chaud…

Odie et moi nous tenons chacun à un bout du jardin. Il a enfilé son gant de base-ball pour réceptionner la boîte sans se blesser. De mon côté, je tiens fermement la batte pour frapper un grand coup.

— Tu es prêt ?

Odie confirme.

— Un, deux, trois !

Je lance la boîte en l'air, j'arme ma batte et *PAF !* Je frappe de toutes mes forces ! Ah, non… Pas *PAF* ! Je l'ai mangée… pardon… manquée. Et voilà ! La faim commence à ramollir mes neurones. Je n'arrive plus à m'exprimer correctement. Moi qui pensais sauver l'humanité tout entière en léguant mon cerveau à la science, je ne serai bientôt plus qu'un Odie ambulant si je ne parviens pas à me nourrir très rapidement.

Je lance à nouveau la boîte, je lui porte cette fois un énorme coup de batte et re-*PAF* ! Elle file droit sur... la palissade. Où elle rebondit avant de me revenir en pleine figure. Aïe ! Odie l'a peut-être manquée, mais moi aussi.

Ça devient désespérant.

— Je sais pas toi, Odie, mais moi, je commence à avoir vraiment, vraiment très faim...

Odie opine du chef.

— Tout ça, c'est de ta faute !

je m'emporte en pointant du doigt la furette, qui nous épie depuis la porte de la cuisine.

Je m'approche d'elle. Odie avance à côté de moi. La furette, effrayée par nos mines déterminées, recule jusque dans le salon et s'enferme dans sa cage. En ce qui me concerne, je ne reculerai plus devant rien pour contenter ma faim…

CHAPITRE 5

UN ÉCLAIR DE GÉNIE

— Hé, Odie ! Tu as remarqué à quel point un furet ressemble à un hot-dog ?

— Mais qu'est-ce qui vous arrive ? demande la furette, terrifiée. Vous n'allez quand même pas me croquer ? Il n'y a même plus de ketchup ni de moutarde ! Et je vous préviens : nous, les furets, avons très mauvais goût. Nous avons le même goût que… les asperges !

— J'adore les asperges.

— J'ai dit « asperges » ? Je voulais dire « épinards ». Et des épinards périmés en plus !

— Ce sera toujours mieux que rien !

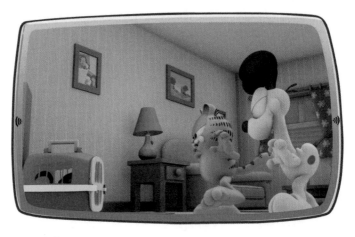

À l'instant où je m'apprête à fondre sur la furette pour la dévorer toute crue, une information à la télévision retient mon attention. Un employé du centre spatial explique que le décollage de la navette doit être reporté en raison d'une tempête qui approche.

— Mais ne vous inquiétez pas ! prévient-il. Ça ne devrait pas durer très longtemps. Le lancement aura lieu cet après-midi.

Eurêka ! Je crois que j'ai une idée. Une vraie, cette fois-ci. Mais il faut agir vite. Puisqu'une tempête est sur le point d'éclater, autant en profiter ! Benjamin Franklin a utilisé un cerf-volant pour prouver au monde entier qu'il y avait de l'électricité dans les éclairs ; moi, je vais me passer du cerveau lent d'Odie pour venir à bout de cette boîte.

— Ce n'est même pas moi qui vais ouvrir la boîte ! C'est la foudre ! En plus, elle va réchauffer la nourriture. Tu ne trouves pas cette idée géniale ?

Odie est resté dans le salon au lieu de me suivre sur le toit. Je l'ai connu plus téméraire ! Penché à la fenêtre, il m'observe, l'air inquiet.

— Regarde bien, Odie ! Je pose la boîte sur l'antenne de télévision pour attirer la foudre. Il n'y a plus qu'à attendre qu'elle...

BRAOUMMM !

— ... frappe.

C'est bizarre, ça sent le chat grillé tout d'un coup. Je crois que ça vient de moi... Mais ne vous inquiétez pas ! La foudre ne frappe jamais deux fois au même...

BRAOUMMMM !

... endroit. J'ai l'impression d'être une crêpe qu'on vient de retourner. Surtout, ne me dites pas : « Jamais deux sans...

BRAOUMMMMMM !

… trois. » Ok ! Je descends avant de finir carbonisé. La boîte est toujours fermée et, moi, je suis cuit à point… Vous pouvez le dire ! Ce n'était pas un éclair de génie de vouloir se frotter à la foudre. Vous savez quoi ? Je hais les boîtes de conserve…

Quand j'y pense, c'est bien la première fois que j'arrive au chapitre cinq de mes aventures sans avoir avalé une seule miette de quoi que ce soit. Je vais finir par croire que Liz est derrière toute cette histoire. Ça ne m'étonnerait pas ! Elle qui veut toujours me mettre au régime. Je déteste les régimes ! Les régimes, c'est comme le compte en banque de Jon : vide et inutile.

Mais vous savez quoi ? Il y a des travaux en ce moment à deux pâtés de maisons d'ici. Un *énorme* chantier avec une *énorme* grue et une *énorme* boule de démolition en acier de plusieurs tonnes suspendue à la grue. On va s'en servir. Parce que j'ai une *énorme* faim et que je refuse de me laisser intimider par une *minuscule* boîte de conserve !

Il nous faut quand même des casques de chantier. On ne sait jamais…

CHAPITRE 6

JE SUIS
UN HÉROS

En quelques minutes, nous sommes sur le chantier. Nous avons de la chance : comme il va bientôt faire nuit, il est totalement désert.

Odie dépose la boîte en haut de l'un des piliers d'un immeuble en construction, qui n'a encore ni toit ni fenêtres. Il me rejoint en bas. Nous grimpons ensemble dans la cabine de contrôle de la grue et enfilons nos casques jaune canari. Quand je pense qu'il y a des chats qui passent leur vie à essayer d'attraper des oiseaux de la couleur d'un casque de chantier...

J'actionne le levier qui commande le balancement de la boule de démolition. Ce n'est pas bien compliqué. Il suffit d'alterner un coup en arrière et un coup en avant pour faire prendre de la vitesse et de la hauteur à la boule. J'ai l'impression d'être dans un jeu vidéo grandeur nature. Sauf que si je perds, je ne pourrai pas recommencer ! Mieux vaut bien viser.

Ça y est ! La boule arrive au niveau de la boîte. Impact dans trois, deux, un…

BADABOUM ! CRASH ! TRAC ! PATATRAS !

Saluons les efforts de l'auteur pour retranscrire en onoma-topées l'écroulement de la tour ! Mais, franchement, tout ça pour quoi ? Pour rien, les amis ! La tour est à terre et a bien failli nous ensevelir, Odie et moi. La boîte, elle, est indemne… Elle nous nargue, parfaitement intacte, au sommet du tas de décombres et de poussière que nous venons de provoquer.

— Rentrons vite à la maison avant qu'on ne nous attrape et que Jon soit obligé de payer les dégâts ! Déjà qu'il n'a pas de quoi s'offrir des chaussettes neuves…

De toute manière, j'abandonne. Il faut se rendre à l'évidence : cette boîte est indestructible. Que vais-je devenir maintenant, si Jon ne revient jamais ? Que va-t-il m'arriver si je ne peux plus faire la seule chose au monde plus importante que dormir ? Manger, c'est tout ce qui compte pour moi. J'ai tellement faim que j'ai envie de pleurer.

Et pour couronner le tout, arrivés à la maison, nous retrouvons la furette, repue, installée dans mon fauteuil.

— Vous ne voulez pas vous changer un peu les idées devant la télé ? nous demande-t-elle, comme si de rien n'était.

Elle ne manque pas de culot ! Mais je n'ai même plus l'énergie de lui en vouloir. Et comme par hasard, nous arrivons au moment de la diffusion d'une publicité dont je me serais bien passé.

— Mon chat ne peut pas s'arrêter de ronronner quand il voit que j'ouvre une boîte de sa nourriture préférée ! explique en souriant à la caméra une femme trop maquillée et aux dents trop blanches pour être honnête.

Vous avez déjà vu un chat qui ronronne en dévorant ses croquettes, vous ? Moi pas. Et une maîtresse qui donne à

manger à son chat en tenue
de soirée ? Moi non plus.
Franchement, de qui se moque-
t-on ?

La fille de la publicité porte
une robe rouge, un collier de
perles et de longs gants blancs
satinés. Tout ça pour servir
de la pâtée pour chats dans
une gamelle en plastique à...
Non mais je rêve ! Quelqu'un
doit m'en vouloir aujourd'hui.
Nermal ! C'est cet idiot de Nermal
qui joue dans la publicité ! Celui

qui se prend pour le chat le plus mignon de l'univers. Si j'avais la bouche pleine, je crois que je m'étranglerais. Malheureusement, elle est parfaitement vide. Je n'aurais pas dû me brosser les dents ce matin. Il me resterait peut-être de quoi grignoter entre les molaires…

— Je crois que je vais changer de chaîne, intervient la furette.

Elle remet les informations et retourne dans sa cage. On dirait que la journaliste et l'employé du centre spatial n'ont pas bougé d'un centimètre depuis tout à l'heure. C'est comme ça, les actualités à la télévision ! Même quand il ne se passe rien, on en parle pendant des heures. Remarquez, personnellement, j'adore quand il ne se passe rien. Surtout le dimanche.

— Il semblerait que la tempête se soit calmée, explique la journaliste.

— Effectivement, confirme l'employé. Je crois que nous

allons pouvoir procéder au lancement dans approximativement
trente minutes.

Eurêka bis ! Cette fois, je sais
comment ouvrir cette fichue
boîte. On va voir si elle est
vraiment indestructible !

— Odie, va chercher nos
combinaisons spatiales !

Je sais ce que vous pensez : per-
sonne ne possède de combinaison

spatiale à part les astro-nautes professionnels. Eh bien, détrompez-vous ! N'oubliez pas que je suis un héros de bande dessinée, de dessin animé, de cinéma et de roman ! Et les héros ont toujours tout ce qu'il faut sous la main pour se sortir des situations les plus périlleuses.

Que celui qui s'apprête à dire « sauf à manger » y réfléchisse à deux fois ! Un seul coup de fil à ses parents et il sera privé de la suite de mes aventures... Au moins jusqu'au prochain épisode !

CHAPITRE 7

COLLISION

Voyons voir cette navette spatiale ! Ça ne doit pas être beaucoup plus compliqué à manœuvrer qu'une grue. Il y a des écrans pour observer ce qui se passe derrière, devant et sur les côtés, ainsi qu'une grosse manette en plastique et un gros bouton rouge. Tout le reste, je suppose que c'est pour faire joli.

Pardon ? Vous avez encore une remarque ? Vous vous

demandez comment nous avons pu atterrir dans le cockpit de la navette spatiale avec Odie ? Je vous trouve bien tatillons, décidément. Mais, ça, mes amis, c'est la magie de la narration !

L'auteur, qui est un gros paresseux comme moi (c'est d'ailleurs pour ça qu'on l'a choisi), a fait une ellipse. C'est-à-dire qu'il ne vous a pas tout raconté, puisqu'il sait que vous êtes malins. Vous avez donc compris tout seuls que nous allions nous rendre au décollage de la navette spatiale.

Bon, vous n'avez pas tout à fait tort, l'auteur aurait pu vous expliquer comment nous avons couru à perdre haleine pour arriver jusqu'au centre spatial. Comment nous nous sommes faufilés dans son enceinte sans nous faire repérer. Comment nous avons fait croire aux deux pilotes qu'ils avaient encore le temps d'aller aux toilettes. Comment nous sommes montés à bord de la fusée. Et même comment Odie a réussi à enfiler son casque sans ôter ses oreilles alors qu'elles sont trop grandes pour y entrer. Mais ça

aurait été beaucoup trop long !
Vous vous seriez ennuyés. Et je
vous rappelle que nous avons
faim ! Alors, vite, passons tout
de suite au paragraphe suivant !

Je dirais donc que, pour
décoller, il faut appuyer sur le
gros bouton rouge : trois, deux,
un… ZÉRO !

PRRRSCHHHVRRRAOUM !

Pas mal, le bruit de la fusée
qui décolle !

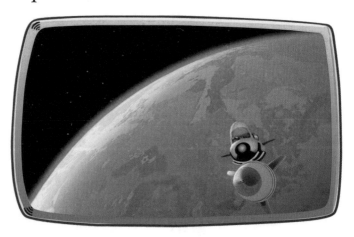

En à peine quelques minutes, nous quittons l'atmosphère terrestre et nous nous retrouvons à plus de mille kilomètres d'altitude. Pas le temps de regarder le paysage, nous avons une mission à accomplir !

— Ah, ah, ah ! À nous deux, la boîte ! Alors, comme ça tu te crois indestructible ? On va voir si tu résistes à une chute depuis l'espace.

J'appuie sur le bouton qui ouvre la trappe d'évacuation (c'est mon petit doigt qui m'a dit lequel c'était) et largue la boîte. Il n'y a plus qu'à faire demi-tour et à la récupérer sur terre, prête à consommer !

Oh, non ! Ce n'est pas possible ! On nous a jeté un mauvais sort ou quoi ? La boîte vient de percuter une soucoupe volante, qui la dévie de sa trajectoire. Un petit homme vert, qui pilote l'astronef depuis son cockpit en forme de cloche à fromage, a l'air très mécontent… Je crois que la boîte a endommagé la carrosserie de son appareil.

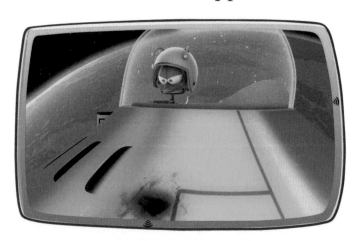

Il la prend en chasse, sort son rayon laser et se met à tirer dessus.

— Eh ! Oh ! L'extraterrestre ! Trouve-toi une autre boîte à atomiser !

Mais qu'est-ce qui me prend de hurler ainsi ? J'oublie que, dans l'espace, on ne vous entend pas. Il faut que je l'empêche de pulvériser la boîte avec son rayon surpuissant, sinon la nourriture va entrer en orbite autour de la Terre et nous n'aurons définitivement plus rien à manger.

Je pousse la manette de contrôle vers la droite pour virer de bord. Nous descendons en piqué sur l'OVPI (Objet

Volant Parfaitement Identifié).
De loin, j'ai bien l'impression
que son rayon laser ne vient pas
à bout de la boîte de conserve.
Il ricoche dessus comme un
vulgaire pistolet à eau. Nous
avons encore une chance de la
sauver !

Oh, mais attendez ! La boîte
fonce à présent vers la soucoupe… et la percute brutalement ! L'extraterrestre a perdu
le contrôle… Il fonce droit sur
nous ! Je dois l'éviter !

CLING ! CRASH !

Trop tard. Nous sommes
entrés en collision avec le petit
homme vert. J'espère pour lui
qu'il a une bonne assurance.

De mon côté, je ne maîtrise plus rien. La navette part en vrille. Nous allons nous écraser sans manger !

TUUT ! TUUT ! TUUT !
Une alarme s'est déclenchée.
— Ici, la tour de contrôle ! Nous avons détecté un problème…

CHAPITRE 8

ON NAGE EN PLEIN DÉLIRE !

Je vois la Terre s'approcher à toute vitesse. D'où je me trouve, on dirait une énorme pizza bleue. Les nuages ressemblent à de la mozzarella, et les forêts à des olives. Adieu Odie ! Adieu les amis ! Ne m'oubliez pas ! J'espère que chaque fois que vous mangerez des lasagnes, vous vous souviendrez du chat le plus cool de l'univers…

— Accrochez-vous bien ! nous avertit la tour de contrôle.

On ne fait que ça.

— Vous allez rentrer dans l'atmosphère dans dix, neuf, huit…

On ne pourrait pas ralentir plutôt ?

— … sept, six, cinq, quatre, trois, deux, un…

La navette se suspend soudain brutalement dans les airs ! Je crois que nous sommes sauvés ! La tour de contrôle a probablement déclenché le parachute à distance. Il était moins une. Le nez vers le bas, l'appareil se pose en douceur au milieu d'un square.

À quelques mètres à peine, un trou immense s'est formé. Qu'est-ce qui a bien pu faire ça ? Une météorite ? La soucoupe volante peut-être ? Vous croyez que ça se mange un extraterrestre ? Au point où j'en suis, je suis prêt à avaler n'importe quoi ! Même des choux de Bruxelles !

Odie et moi nous penchons prudemment au-dessus du trou.

Et là, pour une surprise, c'est une indestructible surprise ! Je n'arrive pas à y croire ! Je suis obligé de me frotter les yeux tellement c'est inimaginable. Enfin, du moins, j'essaie, parce qu'avec mon casque d'astronaute, ce n'est pas évident !

Elle est là ! Rescapée d'une chute libre de plus de mille kilomètres ! La boîte de conserve

a fait l'aller-retour de la Terre à l'espace sans une seule égratignure. En revanche, elle a creusé un cratère de la taille d'une piscine. Vous y comprenez quelque chose, vous ? Pour ma part, je suis perdu.

— Rentrons à la maison, Odie !

Mais voilà qu'il insiste pour récupérer la boîte ! Après tout, si ça peut lui faire plaisir. Fouiller dans les trous, c'est son truc.

Vous imaginez le tableau ? Nous sommes au dernier chapitre de cette histoire, je n'ai toujours rien mangé et je dois m'avouer vaincu par une boîte de conserve. Et en plus, nous devons rentrer à pied ! S'il n'y a pas tout de suite un rebondissement, je donne ma démission. Fini les aventures de Garfield ! Je ne sais pas, moi, ce serait si compliqué de faire intervenir un bon Samaritain qui nous offrirait des pizzas ? Ou pourquoi pas une attaque de lasagnes géantes ? Et une avalanche de crème glacée ?

Mais non. Rien ne se passe.

Nous arrivons à la maison. Odie court autour de moi en remuant la queue, comme s'il y avait de quoi se réjouir. Moi qui parle pourtant couramment le langage extrêmement primitif des chiens, je ne comprends pas tout de suite où il veut en venir. C'est lorsqu'il laisse tomber la boîte à mes pieds que je réalise ce qu'il me demande. Difficile de parler la bouche pleine, en effet.

— Tu rigoles ou quoi ? Après tout ce que j'ai tenté, tu veux quand même essayer d'ouvrir cette boîte ?

Odie hoche vigoureusement la tête en guise d'approbation.

— Eh ben, vas-y gros malin !

La furette, qui a profité de notre absence pour reprendre ma place dans le fauteuil, l'encourage comme s'il allait marquer un but ou gagner une course.

— Allez Odie ! Allez Odie ! Je parie le contenu de la boîte que tu vas y arriver !

Et en plus elle me provoque !

Odie s'empare de la boîte, la retourne et me montre une languette. Il tire dessus et... *CLIC !* La boîte est ouverte ! L'étiquette était tout simplement collée à l'envers. Comme je n'ai pas pensé à la retourner, je n'ai pas vu le système d'ouverture...

— J'ai gagné, j'ai gagné !
s'écrie la furette.

Si je saisis bien la situation,
Odie vient de se montrer plus
intelligent que moi. C'est lui le
héros dans cette histoire ! Gentil,
serviable, courageux... On nage
en plein délire ! Normalement,
c'est moi qui gagne à la fin !

Vous savez quoi ? Je mets
tout de suite un terme à ce

cauchemar ! Et je vous suggère de garder ça pour vous. Le premier qui raconte cet épisode à ses amis, je lui fais manger une boîte de pâtée pour chats. Compris ?

FIN

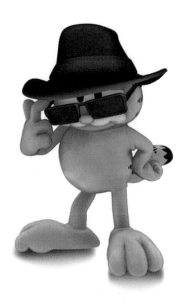

ENCORE UNE ENVIE DE LASAGNES?

TOURNE VITE LA PAGE POUR RETROUVER GARFIELD!

TU AS DÉVORÉ TOUTES LES AVENTURES DE **GARFIELD** ?

L'ATTAQUE DES LASAGNES

ODIE EST AMOUREUX

C'EST LE MONDE À L'ENVERS !

PIZZAS EN DANGER !

TOUT EST BON DANS LE DINDON !

QUI VEUT LA PEAU DE POOKY ?

UN ESPION
SUR LE DOS

LA CHASSE
EST OUVERTE !

ATTENTION,
CHAT FANTÔME !

MYSTÈRE ET
BOULE DE POILS

ARGENT, GLOIRE
ET PIZZAS

SOS, SOURIS
EN DÉTRESSE !

RETROUVE AUSSI *Garfield* ET TOUS SES AMIS...

AU RAYON BD

JIM DAVIS

Garfield

Crazy Kart

DARGAUD

DARGAUD

TABLE

PAPIER À BASE DE
FIBRES CERTIFIÉES

⊟hachette s'engage pour
l'environnement en réduisant
l'empreinte carbone de ses livres.
Celle de cet exemplaire est de :
400 g éq. CO_2
Rendez-vous sur
www.hachette-durable.fr

Photogravure Nord Compo - Villeneuve d'Ascq

Imprimé en Roumanie par G. Canale & C. S.A.
Dépôt légal : octobre 2013
Achevé d'imprimer : octobre 2013
20.3941.0/01 – ISBN 978-2-01-203941-4
Loi n° 49956 du 16 juillet 1949
sur les publications destinées à la jeunesse